이정록(李楨錄, Lee Jeonglock) 시
1964년 충남 홍성에서 출생했습니다. 대학에서 한문교육과 문학예술학을 공부했습니다.
1989년 〈대전일보〉 신춘문예와 1993년 〈동아일보〉 신춘문예에 시로 당선했습니다.
동화책 《아들과 아버지》, 《대단한 단추들》, 《미술왕》, 《십 원짜리 똥탑》과 동시집 《아홉 살은 힘들다》, 《지구의 맛》,
《저 많이 컸죠》, 《콧구멍만 바쁘다》와 그림책 《나무의 마음》, 《어서 오세요 만리장성입니다》, 《아니야!》, 《황소바람》, 《똥방패》, 《오리 왕자》가 있습니다.
시집 《그럴 때가 있다》, 《동심언어사전》, 《눈에 넣어도 아프지 않은 것들의 목록》, 《어머니 학교》, 《정말》, 《의자》 등이 있고,
청소년 시집 《아직 오지 않은 나에게》, 《까짓것》과 산문집 《시가 안 써지면 나는 시내버스를 탄다》, 《시인의 서랍》이 있습니다.
김수영문학상, 김달진문학상, 윤동주문학대상, 박재삼문학상, 한성기문학상, 천상병동심문학상을 받았습니다.

주리(珠利, Julee) 그림
서울예술대학교에서 시각디자인을 공부했습니다. 특유의 감성과 분위기로 마음속에 오래 기억될 수 있는 좋은 그림을 그리고자 늘 힘쓰고 있습니다.
그동안 그린 책으로는 《김용택 시인의 자갈길》, 《한계령을 위한 연가》, 《할머니 집에 가는 길》, 《흰 눈》, 《사랑》, 《달려라, 꼬마》, 《코끼리 놀이터》,
《오리 왕자》, 《용감한 리나》, 《흑설공주》, 《유리 구두를 벗어 버린 신데렐라》 등이 있으며,
《여섯 번째 사요코》, 《방과 후》, 《승리보다 소중한 것》, 《모던보이》, 《지독한 장난》 등 다수의 소설 표지 그림을 그렸습니다.
홈페이지 www.by-julee.com

안선재(앤서니 수사, Brother Anthony of Taizé) 번역
영국에서 태어나 옥스퍼드대학교에서 학위를 받고, 1985년부터 서강대학교 영문과 교수로, 현재는 서강대학교 명예교수로 재직하고 있습니다.
1994년에 우리나라로 귀화했으며, 대한민국문학상 번역부문 대상, 대산문학상 번역상, 한국펜클럽 번역상을 수상했고,
2008년 옥관문화훈장을 받았습니다.
고은 시인의 《만인보*Ten Thousand Lives*》와 《화엄경*Little Pilgrim*》 등 30권 이상의 한국 시와 소설의 영문 번역서를 냈습니다.

달팽이 학교
Snail School

개정1판 10쇄 | 2025년 11월 25일
개정1판 1쇄 | 2023년 7월 17일
1판 1쇄 | 2017년 8월 9일
1판 32쇄 | 2022년 12월 15일

시 | 이정록
그림 | 주리
번역 | 안선재(Brother Anthony of Taizé)

펴낸이 | 박현진
펴낸곳 | (주)풀과바람
주소 | 경기도 파주시 회동길 329(서패동, 파주출판도시)
전화 | 031) 955-9655~6
팩스 | 031) 955-9657
출판등록 | 2000년 4월 24일 제20-328호
블로그 | blog.naver.com/grassandwind
이메일 | grassandwind@hanmail.net

편집 | 이영란
디자인 | 박기준
마케팅 | 이승민

값 13,000원
ISBN 978-89-8389-187-7 77810

※ 잘못 만들어진 책은 구입처에서 바꾸어 드립니다.

제품명 달팽이 학교 | **제조자명** (주)풀과바람 | **제조국명** 대한민국
전화번호 031)955-9655~6 | **주소** 경기도 파주시 회동길 329
제조년월 2025년 11월 25일 | **사용 연령** 3세 이상
KC마크는 이 제품이 공통안전기준에 적합하였음을 의미합니다.

⚠ 주의
어린이가 책 모서리에
다치지 않게 주의하세요.

달팽이 학교

시 이정록 · 그림 주리

바우솔

달팽이 학교는

달팽이 학교

선생님이 더 많이 지각한다.

느 릿

느 릿

할아버지 교장 선생님이 가장 늦는다.

그래서 실외 조회도 운동회도
달밤에 한다.

달팽이 학교 운동회
달팽이 학교

이웃 보리밭으로 소풍 다녀오는 데

일주일이 걸렸다.

뽕잎 김밥 싸는 데만

사흘이 걸렸다.

교장 선생님은 아직도

보리밭 두둑 미루나무 밑에서

보물찾기를 한다.

교장 선생님은 이제 지각하지 않는다.

달팽이 학교

교장실 옆 화단으로 집을 옮겼다.

이삿짐을 싸는 데만 한 달이 걸렸다.

칸나 꽃 빨간 집이 예뻤는데

이사하는 동안에 초록 집이 되었다.

화장실이 코앞인데도

교실에다가 오줌 싸는 애들이 많다.

전속력으로 화장실로 뛰어가다가

복도에 똥을 싸기도 한다.

모두

모두

풀잎 기저귀를 차야겠다.

Snail School

At the snail school
the teacher is late more often than not.

The slowly advancing old headmaster is latest of all.

So morning assemblies and sports days are held on moonlit nights.

An outing to the next-door barley field
lasts a week, getting there and back.

Just wrapping rice in mulberry leaves takes three days.

The headmaster is still out on the barley-field ridges
on a treasure hunt beneath a poplar.

Now the headmaster is no longer late.

He's moved house to the flower bed beside his office.
It took him a month just to pack his belongings

His canna-flower crimson house was pretty
but while he was moving it turned quite green.

The toilet's right in front
yet a lot of the little ones pee in the classroom.

As they rush at full speed toward the toilet
some relive themselves in the corridor too.

Each and every one should wear grass-blade diapers.